TAMBÉM DE Rachel Renée Russell

Diário de uma garota nada popular:
histórias de uma vida nem um pouco fabulosa

Diário de uma garota nada popular 2:
histórias de uma baladeira nem um pouco glamourosa

Diário de uma garota nada popular 3:
histórias de uma pop star nem um pouco talentosa

Diário de uma garota nada popular 4:
histórias de uma patinadora nem um pouco graciosa

Diário de uma garota nada popular 5:
histórias de uma sabichona nem um pouco esperta

Diário de uma garota nada popular 6:
histórias de uma destruidora de corações nem um pouco feliz

Diário de uma garota nada popular 6,5: tudo sobre mim!

Diário de uma garota nada popular 7:
histórias de uma estrela de TV nem um pouco famosa

Rachel Renée Russell

DIÁRIO
de uma garota nada popular

Como escrever um diário nada popular

Tradução
Antônio Xerxenesky

14ª edição
Rio de Janeiro-RJ / São Paulo-SP, 2024

VERUS
EDITORA

TÍTULO ORIGINAL: Dork Diaries: How to Dork Your Diary
EDITORA: Raissa Castro
COORDENADORA EDITORIAL: Ana Paula Gomes
COPIDESQUE: Anna Carolina G. de Souza
REVISÃO: Ana Paula Gomes
DIAGRAMAÇÃO: André S. Tavares da Silva
CAPA, PROJETO GRÁFICO E ILUSTRAÇÕES: Lisa Vega

Copyright © Rachel Renée Russell, 2011
Tradução © Verus Editora, 2012
ISBN 978-85-7686-192-8

Todos os direitos reservados, no Brasil, por Verus Editora.
Nenhuma parte desta obra pode ser reproduzida ou transmitida por qualquer forma e/ou quaisquer meios (eletrônico ou mecânico, incluindo fotocópia e gravação) ou arquivada em qualquer sistema ou banco de dados sem permissão escrita da editora.

VERUS EDITORA LTDA. Rua Argentina, 171, São Cristóvão, Rio de Janeiro/RJ, 20921-380 www.veruseditora.com.br

CIP-BRASIL. CATALOGAÇÃO NA FONTE
SINDICATO NACIONAL DOS EDITORES DE LIVROS, RJ

R925d
Russell, Rachel Renée
  Diário de uma garota nada popular : como escrever um diário nada popular / Rachel Renée Russell ; tradução Antônio Xerxenesky ; ilustração Lisa Vega. – 14. ed. – Rio de Janeiro, RJ : Verus, 2024.
  il. ; 21 cm

  Tradução de: Dork Diaries : How to Dork Your Diary
  ISBN 978-85-7686-192-8

  1. Literatura infantojuvenil americana. I. Xerxenesky, Antônio. II. Vega, Lisa. III. Título.

12-4967
CDD: 028.5
CDU: 087.5

Revisado conforme o novo acordo ortográfico.
Impressão e acabamento: Santa Marta

Este livro é dedicado a VOCÊS,
queridos leitores!

Preencha-o com seus sonhos,
dramas e rabiscos.
E lembre-se sempre de deixar
seu lado nada popular brilhar!

SEXTA-FEIRA, EM CASA, 6:05 DA MANHÃ

AI, MEU DEUS!!

Acabei de ter o PIOR pesadelo de todos!

O pior de *toda* minha vida!

Estou tão SURTADA que mal consigo escrever.

EU, SURTANDO

Estou suando frio, meu coração está disparado e meu cérebro ficou... paralisado de tanta... aflição que parece que vai, hum... EXPLODIR!

POR QUÊ?!

EU SONHEI QUE PERDI MEU DIÁRIO NO COLÉGIO ☹!!!!!!

SIM!! NO COLÉGIO!! Tipo, que LOUCURA é essa?!

O mais estranho é que parece que isso aconteceu de verdade. Porque, assim que acordei, muitas lembranças cheias de detalhes invadiram minha cabeça, me deixando ainda mais confusa.

Não consigo me imaginar SEM poder escrever no meu diário! É como se eu estivesse viciada ou algo assim.

No meu sonho, eu estava tão desesperada que encontrei o velho caderno de desenho da Brianna no fundo da caixa de brinquedos e comecei a escrever ali mesmo.

Mas o que me deixava mais AFLITA era que alguém poderia encontrar o meu diário e ler todas as coisas SUPERpessoais, SUPERconstrangedoras e SUPERsecretas sobre

Eu e a ~~Pri~~ Princesa de Pirlimpimpim beijando os ~~Lid~~ ← Lindos Bebês unicórnios

Eu →

Por: Brianna

AAAHHH!!

Isso fui eu gritando.

POR QUÊ?

Porque, se estou mesmo escrevendo no CADERNO DE DESENHO DA BRIANNA, isso só pode significar uma coisa...

EU PERDI MEU DIÁRIO NO COLÉGIO ONTEM ☹!!

AAAHHH!!!...

EM CASA, 6:12 DA MANHÃ

Acho que estou tendo um colapso nervoso ou alguma coisa assim, porque de repente comecei a chorar e não consegui mais parar.

Meu quarto ficou uma completa bagunça depois de eu usar só uma caixa de lenços.

Mas, quando chorei até usar sete caixas, fiquei parecendo um enorme pedaço de ALGODÃO.

Com OLHOS!

POR. FAVOR. ME. AJUDE.

EU, ENTERRADA NUMA MONTANHA ENORME DE 2.184 LENÇOS AMASSADOS

Por mais que eu só quisesse ficar ali deitada, olhando para a parede e me lamentando, FINALMENTE decidi que tinha chegado a hora de levantar a bunda da cama.

POR QUÊ?

Porque todos aqueles lenços úmidos e molengas estavam começando a secar e a endurecer ao redor do meu corpo, ME transformando em um boneco de neve HUMANO!!

E a Brianna simplesmente AMA bonecos de neve.

Eu estava completamente APAVORADA com a ideia de que ela pudesse:

1. Espetar uma cenoura no meu nariz.

2. Me exibir no nosso jardim.

3. Arrancar um pedaço do meu corpo para fazer raspadinha.

Essa garota tem sérios problemas.

Só tô dizendo... ☹!!

EM CASA, 6:30 DA MANHÃ

Não consigo acreditar que isso está realmente acontecendo comigo!

A última vez que me lembro de ter visto meu diário foi ontem no café da manhã.

Depois que terminei de escrever, eu o enfiei naquele bolso fofo de zíper na parte da frente da minha mochila, como sempre faço.

Tive teste de vocabulário na aula de francês e prova de geometria, então não tive tempo de escrever de novo até a última aula.

E, quando abri o bolso da frente da mochila, meu diário havia DESAPARECIDO ☹!!!

Ser a maior tonta do colégio já é ruim o bastante. E agora todo mundo vai ler o meu diário!

Sou PIOR que uma FRACASSADA COMPLETA!!!
Sou um

Monstro ~~Nix~~ Nojento de Bolinho de Carne

Brócolis Gosmento!!

POR BRIANNA

Tudo bem! Sou só EU, ou esses desenhos são um pedido desesperado de ajuda?!

A Brianna precisa ser medicada com psicotrópicos potentes. O QUANTO ANTES!

Só tô dizendo...!

*PLANO PARA ENCONTRAR
MEU DIÁRIO PERDIDO*

Passo 1. Conferir a seção de Achados e Perdidos na secretaria. (Se não encontrar, seguir para o Passo 2.)

Passo 2. Conferir cada uma das salas nas quais tenho aula. (Se não encontrar, ir para o Passo 3.)

Passo 3. Checar corredores, refeitório e biblioteca. (Se AINDA ASSIM não encontrar, seguir para o Passo 4.)

Passo 4. Rastejar para dentro do meu armário, fechar a porta com tudo e... MORRER ☹!!

HERB, O ZELADOR, DESCOBRE O MAU CHEIRO VINDO DO ARMÁRIO Nº 724

Esse fiasco todo é TÃO TRAUMATIZANTE que mal consigo pensar direito.

Tenho certeza de que estou sofrendo de algum distúrbio muito raro e terrível, como, hum... constipação do cérebro causada por estresse!

E a minha doença vai me impossibilitar de manter um diário.

A essa altura, a única coisa que posso fazer é usar o caderno de desenho da Brianna para anotar instruções específicas a mim mesma sobre COMO escrever um diário.

A boa notícia é que qualquer pessoa pode usar minhas dicas para fazer seu próprio diário.

Aprender a escrever um diário nada popular vai ser uma experiência emocionante e recompensadora para toda a humanidade.

E, quem sabe, talvez um dia seu diário possa até salvar sua vida....

Entende o que quero dizer?!

EU NÃO SOU BRILHANTE ☺?!!

NÃO ESQUECER

Seu diário provavelmente será um de seus bens mais valiosos.

Então é importante descobrir que tipo de diário combina melhor com a sua personalidade.

COMO ESCREVER UM DIÁRIO NADA POPULAR - DICA nº 1

DESCUBRA A IDENTIDADE DO SEU DIÁRIO.

Responda as perguntas a seguir para descobrir qual é o melhor tipo de diário para você.

1. É sábado à tarde. Sua lição de casa está pronta e você tem uma hora para fazer o que quiser. Você decide:

A. Jogar uma partida emocionante do seu jogo favorito no computador ou no videogame.

B. Passar o tempo relaxando, lendo aquele livro que está fazendo sua melhor amiga delirar.

C. Falar com seus amigos por e-mail, mensagens de celular ou Facebook.

D. Deixar a criatividade fluir, desenhando seus personagens de desenho animado favoritos.

2. Você esqueceu seu diário na aula de inglês, e seu paquera vem devolvê-lo na hora do almoço. Você:

A. Envia por e-mail, em agradecimento, um daqueles cartões virtuais animados bonitinhos e o surpreende com o chocolate favorito dele, como recompensa.

B. Engasga com a almôndega e corre para o banheiro feminino, onde passa o resto do dia trancada e escondida.

C. Espera que ele tenha lido a parte do diário sobre a queda que você tem por ele, para que *finalmente* convide você para o baile. Ei, só falta uma semana!

D. Fica vermelha quando ele elogia aquele autorretrato incrível de glitter que você está criando para a exposição de artes da escola e se oferece para desenhar uma caricatura dele como forma de agradecimento.

3. Quando algo está incomodando de verdade, você geralmente:

A. Pensa bem sobre o problema por uma ou duas horas e então tenta esquecê-lo por meio de um congelamento autoinduzido do cérebro, com um sorvete gigante lotado de calda de chocolate.

B. Fica secretamente obcecada pelo problema o dia inteiro, enquanto tenta convencer todo mundo que pergunta "Tá tudo bem?" de que está sim e que nada está incomodando você, porque (1) seu problema é complicado demais para entenderem, e

(2) de tanto fingir que está tudo bem, você está exausta demais para explicar o problema.

C. Descarrega o problema em alto e bom som em toda e qualquer pessoa que esteja disposta a ouvir. Porque, se VOCÊ não está feliz, NINGUÉM deveria estar!

D. Tenta se distrair canalizando toda a energia negativa num projeto criativo. Como pintar natureza-morta num mural dentro do seu armário e juntar uma fonte de água, velas aromáticas e um colchão de ioga, para relaxar entre as aulas.

4. Seu aniversário foi há três meses e você ainda precisa agradecer sua avó por aquele suéter verde-abacate horroroso que ela mesma tricotou, dois tamanhos acima do seu e que coça mais que urtiga. Você:

A. Envia um rápido e-mail dizendo sinceramente quanto curtiu o presente e aproveita para mencionar, como quem não quer nada, como você AMA vales-presentes, pois vêm em tamanho único e não costumam dar coceira.

B. Escreve a mão um bilhete amoroso e sincero de agradecimento informando que o presente está sendo usado quase todos os dias. Mas não diz nada sobre como o enterrou no quintal e seu pai o encontrou sem querer quando estava regando a grama, e agora é o suéter da sorte dele no boliche.

C. Adiciona sua avó no Facebook e posta um recado de agradecimento no mural dela, com uma foto sua vestindo o suéter que ELA fez, para que os catorze amigos dela possam ver. Mas também veste a máscara de esqui que VOCÊ fez, para que seus 1.784 amigos não te reconheçam usando um suéter que mais parece pelo sujo de búfalo.

D. Pinta seu autorretrato em tamanho real vestindo o suéter e o envia a sua avó como gesto de gratidão. Porque, graças a ela, algum gato ou cachorro muito sortudo do abrigo da região vai dar à luz seus filhotes num suéter verde-abacate quentinho, peludo e superlargo.

5. Qual das seguintes afirmações é a mais verdadeira?

A. Você sabe tudo de tecnologia. Adora fazer parte de um time e está sempre pronta para desafios.

B. Você é sociável e ultrarromântica. Adora se enrolar numa coberta confortável e ficar sonhando acordada.

C. Você é feliz e tem muitos amigos. Sempre tem algum tipo de drama na sua vida.

D. Você é criativa e gosta de arte, música, teatro e poesia. Seu estilo é único e ousado.

6. Você ouve por aí que o time de futebol da sua melhor amiga acaba de vencer o campeonato interescolar. Você:

A. Envia o seguinte torpedo: "Você DETONA, GAROTA! Parabéns!"

B. Parabeniza sua amiga com um grande abraço quando a encontra.

C. Deixa um recado na caixa postal dela com gritos histéricos.

D. Faz uma surpresa preparando um cartaz que diz: "Parabéns! Você é DEMAIS!", e deixa no armário dela.

7. Você está prestes a lavar seu jeans favorito e encontra uma nota de dez no bolso de trás, que ganhou da última vez que trabalhou como babá. Você está RICA! Então se dá ao luxo de comprar:

A. Uma entrada para aquele filme que está fazendo o maior sucesso, baseado no seu livro favorito. Você esperou, tipo, uma ETERNIDADE para ele estrear!

B. CUPCAKES! EBAAAAAA!!

C. Gloss labial! Tem uma promoção pague-um-
     -leve-dois no shopping!

  D. Música para o seu iPod. Tem algumas músicas
     novas que você andou escutando que soam como
     mel para os ouvidos.

8. Você está numa festa do pijama e é hora dos jogos. Qual você prefere?

  A. Just Dance

  B. Jogo da Vida

  C. Verdade ou Desafio

  D. Imagem & Ação

Agora dê uma olhada na resposta que você marcou para cada questão.

Qual é a letra que mais apareceu?

A maioria das minhas respostas é letra _____.

LETRA A
Você é inteligente, curiosa e gosta de aprender coisas novas. Você vai adorar ter um diário no computador, contando detalhes de suas aventuras mais interessantes e de suas novas descobertas.

LETRA B
Você é gentil, sensível e gosta de ajudar os outros. Você vai adorar ter um diário de papel. Seus sonhos e sentimentos são sagrados. Compartilhe-os com seu diário como se ele fosse seu melhor amigo.

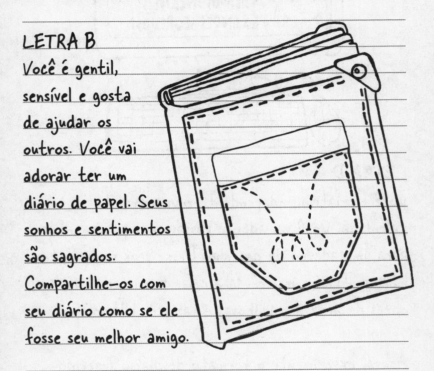

LETRA C
Você é sociável, extrovertida e ama as pessoas. Você vai adorar escrever um blog. Escolha uma identidade virtual e compartilhe sua emocionante vida de DIVA com seus amigos.

LETRA D

Você é criativa, independente e uma artista talentosa. Você vai adorar passar seus pensamentos para um caderno de desenho. Deixe seus sentimentos mais profundos inspirá-la a criar poesia emotiva, obras de arte maravilhosas e rabiscos hilários.

Agora, experimente o formato de diário sugerido para a sua personalidade. Se você amar, é porque encontrou aquele que mais combina com você! No entanto, se achar que essa não é a melhor opção, tente as demais e escolha aquela que fizer você se sentir melhor. BOA SORTE ☺!

EM CASA, 7:10 DA MANHÃ

Já estou com medo de ir à escola hoje.

Parte de mim só quer desistir e voltar para a cama. Mas, já que eu tenho de encontrar o meu diário custe o que custar, ficar em casa NÃO é uma opção.

Só a ideia de o pessoal do colégio ler o meu diário já me deixa doente. Eu estava tão enjoada hoje de manhã que mal consegui comer.

Obviamente, o fato de a Brianna estar preparando um baita café da manhã para a Bicuda também não ajudou.

SINTO MUITO, mas a Bicuda é APENAS um FANTOCHE imbecil! Qualquer IDIOTA que a visse saberia que ela JAMAIS seria capaz de comer toda aquela comida!!

Porém, mais do que qualquer outra coisa, eu estava COM NOJO da bagunça imunda que a Brianna estava fazendo.

Por que, por que, por que eu não sou filha única ☹?!!

NÃO ESQUECER

É sempre divertido escrever sobre coisas que deixam você feliz. Mas sabia que escrever sobre experiências ruins ou decepções às vezes pode fazer você se sentir bem melhor? Se estiver tendo um dia muito, muito ruim, lembre-se de usar seu diário como forma de desabafar e trabalhar as frustrações.

COMO ESCREVER UM DIÁRIO NADA POPULAR – DICA nº 2

ESCREVA SOBRE O BOM, O MAU E O FEIO.

O BOM:

Eu, no dia em que fiquei em primeiro lugar no concurso de artes da escola!!

Escreva sobre a MELHOR coisa que já aconteceu na sua vida. Como você se sentiu?

Faça um desenho: _____

A MELHOR COISA QUE JÁ ME ACONTECEU ☺!

O MAU:

Eu, depois que a MacKenzie e a Jessica destruíram meu vestido de marca novinho!

Escreva sobre a PIOR coisa que já aconteceu na sua vida. Como você se sentiu?

Faça um desenho:

A PIOR COISA QUE JÁ ME ACONTECEU ☹!

O FEIO:

Eu, sendo filmada cantando com minha irmãzinha no palco da pizzaria Queijinho Derretido!

Escreva sobre os micos mais CONSTRANGEDORES da sua vida. Como você se sentiu?

Faça desenhos:

OS DOIS MAIORES MICOS DA MINHA VIDA ☹!

NÃO ESQUECER

Não deixe de escrever no diário todos os dias. Mesmo se PERDER seu diário, continue escrevendo num caderno que você tenha sobrando ou no caderno de desenhos irritantes da sua irmã mais nova.

EU E A ~~DI~~ BICUDA

NHAM Sorvete.

por ~~Bia~~ Brianna

COMO ESCREVER UM DIÁRIO NADA POPULAR — DICA nº 3

FAÇA SEMPRE A COISA ESCRITA.

Surpresa! Este é um TESTE de última hora! Pegue lápis ou caneta e escreva AGORA MESMO no diário o que aconteceu hoje com você! Continue escrevendo até encontrar a palavra "PARE".

BANHEIRO FEMININO DO COLÉGIO, 7:45 DA MANHÃ

Assim que cheguei ao colégio, praticamente corri para a secretaria. Nem esperei pelas minhas melhores amigas, a Chloe e a Zoey.

A secretária do colégio, sra. Pearson, estava colocando as cartas na caixa de correspondência dos professores.

"Hum... com licença, por acaso alguém encontrou um livro perdido?", perguntei, toda frenética.

"Bom dia, Nikki. Na verdade, um aluno entregou SIM um livro ontem! Ele disse que encontrou no corredor perto do refeitório."

Eu mal podia acreditar na minha sorte! Fiquei tão feliz e aliviada que poderia ter dado um abraço na sra. Pearson.

"AI, MEU DEUS! Alguém achou e devolveu?", perguntei histérica. "Tenho certeza que é MEU!"

Ainda bem que o pesadelo tinha finalmente terminado.

Quando a sra. Pearson me entregou o livro, dei uma olhada e meu coração parou.

NÃÃÃOOO!!

NÃO era o meu diário!

Eu precisava de OUTRO livro de geometria tanto quanto precisava de um buraco na cabeça. Afinal, eu não entendia nem os problemas de matemática do livro que eu JÁ tinha.

"Ãââ, obrigada. Mas este NÃO é o meu livro", resmunguei e o devolvi para a sra. Pearson.

"Bom, dê uma olhada na caixa de achados e perdidos. Talvez esteja ali", disse ela, tentando me encorajar.

Fechei os olhos e rezei para que estivesse lá.

Por favor, faça com que meu diário esteja nos achados e perdidos!

Por favor, faça com que meu diário esteja nos achados e perdidos!

Por favor, faça com que meu diário esteja nos achados e perdidos!

Então suspirei e caminhei em direção à grande caixa de papelão encostada num canto.

Eu a abri lentamente e verifiquei com cuidado todos os itens...

EU, PROCURANDO MEU DIÁRIO NO MEIO DE TODAS AS COISAS ESQUISITAS DOS ACHADOS E PERDIDOS

Mas, infelizmente, ele NÃO estava ali.

Mordi o lábio e tentei engolir o choro.

"Não se preocupe, querida. Seu livro vai aparecer mais tarde," disse a sra. Pearson, tentando fazer com que eu me sentisse melhor. "E, para ter certeza de que o encontraremos, vou deixar um bilhete alertando todos os meus assistentes para que fiquem atentos a um livro pertencente a Nikki Maxwell! Certo?"

Foi aí que meus joelhos ficaram trêmulos e eu fiquei tão enjoada que achei que fosse vomitar.

Mas NÃO era por causa do sanduíche mofado de carne moída.

Ou do aparelho móvel sujo.

Ou do aplique de cabelo embaraçado (que era bem nojento).

De repente, percebi que meu pequeno problema com o diário provavelmente PIORARIA antes de melhorar.

POR QUÊ?!

Porque a JESSICA HUNTER é ASSISTENTE NA SECRETARIA!

E a melhor amiga da Jessica é a MACKENZIE HOLLISTER!

E todo mundo sabe que a MacKenzie Hollister

ME ODEIA COM TODAS AS FORÇAS!!

Mesmo se, em algum momento, meu diário FOR entregue na seção de achados e perdidos, há uma GRANDE chance de a MacKenzie o interceptar, ler e pendurar as páginas pelos murais do colégio — só para tornar minha vida mais difícil do que já é. E não há nada que eu possa fazer.

Exceto sair correndo para o banheiro feminino e ter um colapso nervoso gigantesco...

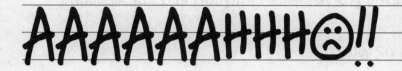

(Isso fui eu gritando. DE NOVO!)

NÃO ESQUECER
AVISO:

Infelizmente, pais, irmãzinhas e irmãozinhos endiabrados, amigos, inimigos e mesmo completos estranhos AMAM ler diários que não lhes pertencem.

COMO ESCREVER UM DIÁRIO NADA POPULAR - DICA nº 4

NUNCA, JAMAIS DEIXE SEU DIÁRIO ONDE UM XERETA METIDO A BESTA POSSA ESPIAR!

AI, MEU DEUS, NIKKI! VOCÊ ESTÁ ESCREVENDO UM DIÁRIO? POSSO LER?

AH, ISTO AQUI? É SÓ UM... LIVRO QUE GANHEI DO MEU MÉDICO SOBRE, HUM... O ODOR DAS UNHAS DOS PÉS.

Se alguém pegasse você escrevendo em seu diário, o que você diria para tentar enganá-lo? Anote abaixo quatro respostas diferentes:

> **EI! ISSO AÍ É O SEU DIÁRIO?!**

Nunca deixe ninguém dizer a você que ter um diário é uma coisa boba ou infantil. Refletir sobre seus sentimentos e suas experiências é na verdade uma atividade bem madura. Se alguém lhe dissesse algo grosseiro sobre ter um diário, o que você responderia?

> SÓ PESSOAS TONTAS TÊM DIÁRIO!

Como você disfarçaria seu diário? Desenhe capas falsas de livros nas próximas páginas:

CAPA FALSA DE LIVRO nº 1

CAPA FALSA DE LIVRO nº 2

AULA DE INGLÊS, 8:00 DA MANHÃ

Eu estava completamente sem fôlego quando cheguei à primeira aula.

Chequei freneticamente minha carteira, as bancadas e as estantes. Mas não havia nem sinal do meu diário ☹! E eu, tipo: "QUE MARAVILHA!"

Desabei na cadeira, fechei os olhos e massageei minhas têmporas, tentando repassar os acontecimentos de ontem na minha cabeça.

Se de alguma maneira eu havia perdido meu diário, QUEM teria estado por perto para encontrá-lo?

Examinei com os olhos todos os suspeitos em potencial da minha sala.

Foi quando lembrei que a Chloe caminhou comigo até a sala ontem. Como sempre, ela estava falando sem parar, delirando sobre o último romance que tinha lido. O nome do livro era...

"AI, MEU DEUS, Nikki! É o MELHOR livro de TODOS OS TEMPOS! Eu NÃO conseguia parar de ler.

É sobre uma artista talentosa que fica obcecada em desenhar um cara superbonitinho que ela imaginou. Aí, um dia, ele aparece no colégio dela como aluno novo. E consegue ler os pensamentos dela.

O Garoto dos Rabiscos parece ser muito legal, até que o paquera dela, Hunk Finn, um cara ainda mais bonitinho da aula de artes, desenha um retrato dela para um projeto da escola e divide um cupcake de chocolate com ela.

Quando o Garoto dos Rabiscos começa a agir de maneira absurdamente ciumenta, a artista decide que não tem escolha a não ser apagar em segredo todos os seus desenhos, para se livrar dele.

Daí ela surta quando o Garoto dos Rabiscos rouba TODAS as suas borrachas, para que ela não consiga apagá-lo. E então ele começa a comer papel para ganhar superpoderes e se tornar imortal.

Nikki, como você também é artista, eu acho que você vai AMAR o livro!"

E eu, tipo: "Ah, valeu, Chloe. Mal posso esperar!"

Então ela me entregou *O garoto dos rabiscos fatais*, eu abri minha mochila e enfiei o livro ali dentro.

Provavelmente foi aí que o meu diário caiu por acidente...

E A CHLOE O ENCONTROU ☹?!

Tenho que admitir que a Chloe é completamente obcecada por romances.

E ela é capaz de ler QUALQUER COISA. Rótulo de lata de sopa. Embalagem de gloss labial.

E se ela pegou meu DIÁRIO, leu e SIMPLESMENTE AMOU todo aquele drama maluco?!

Sei que isso pode parecer loucura...! Mas e se a Chloe transformou minhas TRAGÉDIAS superpessoais e nada populares em uma série de livros best-seller?!

E em um filme de sucesso em Hollywood?!

Sem nem ao menos me contar?!!

Eu provavelmente NUNCA, EM HIPÓTESE ALGUMA, superaria isso. Minha vida estaria completamente ARRUINADA.

E então, muitos anos depois, a Chloe e eu talvez nos encontrássemos na rua...

Ei, isso pode acontecer! Por que minha vida tem de ser essa PORCARIA completa?!

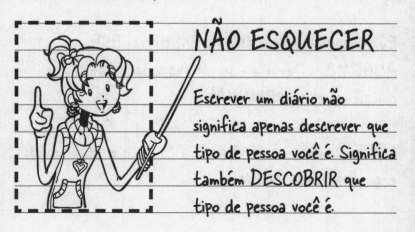

NÃO ESQUECER

Escrever um diário não significa apenas descrever que tipo de pessoa você é. Significa também DESCOBRIR que tipo de pessoa você é.

Por isso, é importante cavar fundo e examinar seus pensamentos e sentimentos. Sinta-se muito bem escrevendo sobre VOCÊ!

COMO ESCREVER UM DIÁRIO NADA POPULAR — DICA nº 5

TUDO GIRA AO MEU REDOR.

Se conseguir responder cada uma das perguntas a seguir, você estará no caminho certo para escrever um diário INCRÍVEL.

O que te deixa feliz de verdade?

O que te deixa triste de verdade?

Quais foram as maiores conquistas da sua vida?

Do que você tem mais orgulho?

Do que você tem mais vergonha?

Qual é o seu maior medo?

Quem é o seu maior herói?

O que você quer ser quando crescer?

Quais são seus três programas de TV favoritos?

Quais são seus três filmes favoritos?

Quem são suas três celebridades favoritas?

Quais são seus três livros favoritos?

Quais são suas três músicas favoritas?

Qual é a sua comida favorita?

Que comida você mais detesta?

Quem é seu(sua) melhor amigo(a)?

Quem é seu maior paquera?

Que lugares você gosta de frequentar?

AULA DE FRANCÊS, 9:50 DA MANHÃ

SOCORRO!! O dia de hoje está se tornando o PIOR da minha VIDA!

Logo antes da aula de francês, decidi investigar todos os banheiros femininos em busca do meu diário perdido.

E adivinha com quem eu esbarrei?!

DICA: Ela estava se olhando no espelho, passando dezessete camadas de gloss labial sabor bala de maçã fluorescente.

Acertou!

MACKENZIE HOLLISTER!!

E saca só! Ela foi LEGAL comigo.

O que, é claro, me deixou SUPERdesconfiada.

Principalmente quando ela trombou comigo e tentou agir de maneira inocente, pedindo desculpas, como se a coisa toda fosse apenas um acidente.

"Ops! Acabei de esbarrar em você, Nikki. Mas foi sem querer. Desculpa! Espero que você me perdoe. Aliás, esse gloss combina com os meus sapatos?"

Eu NÃO podia acreditar no que estava ouvindo. Como é que a MacKenzie ousava se desculpar por ser uma desastrada E me pedir conselhos de moda, tudo numa tacada só?! Onde foi que educaram essa garota? No adestramento de cães? Só tô dizendo!

Enfim, assim que saí do banheiro, reparei que todo mundo no corredor estava apontando para mim e rindo.

E eu não fazia a menor ideia do porquê.

Bem, QUE BELA SURPRESA!

A MacKenzie tinha me dado um pequeno, hum, PRESENTE...

EU, HUMILHADA EM PÚBLICO PELO TROTE ENGRAÇADINHO DA MACKENZIE

Quando a vi de novo na aula de francês, tive de me segurar para não sair de fininho e ir até o banheiro feminino pegar um rolo de papel higiênico.

POR QUÊ?

Porque meu lado obscuro e diabólico queria grudar papel higiênico na bunda dela bem ali, no meio da sala de aula.

Enfim, fiquei um pouco surpresa quando ela veio rebolando até a minha carteira.

"Ouvi de uma fonte muito confiável que você perdeu seu diário. Seria horrível se todos os seus segredos se espalhassem por aí. Então tenho uma novidade importante para você!"

Fiquei de queixo caído e meu coração quase parou. AI, MEU DEUS!! A MacKenzie sabia que meu diário tinha sumido?!

Será que a Jessica JÁ tinha contado para ela? Meu pior PESADELO estava se tornando realidade!

E eu estava com um pressentimento bem ruim a respeito da novidade dela.

"Na verdade, MacKenzie, seria novidade se você NÃO metesse o nariz nos MEUS assuntos pelo menos uma vez na vida."

Foi quando ela começou a me encarar com seus gélidos olhos azuis.

EU VOU REVIRAR O COLÉGIO INTEIRO ATRÁS DO SEU DIÁRIO, ATÉ ENCONTRÁ-LO. E, QUANDO ISSO ACONTECER, VOCÊ VAI LAMENTAR!

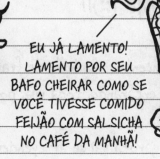

EU JÁ LAMENTO! LAMENTO POR SEU BAFO CHEIRAR COMO SE VOCÊ TIVESSE COMIDO FEIJÃO COM SALSICHA NO CAFÉ DA MANHÃ!

Ela me olhou furiosa, empinou o nariz e rebolou de volta até a carteira dela.

Simplesmente ODEIO quando a MacKenzie rebola!

Mas agora tenho DUAS questões me incomodando:

1. ELA VAI ENCONTRAR MEU DIÁRIO ANTES DE MIM?

2. SE ENCONTRAR, QUE PLANO MALVADO, CRUEL E DIABÓLICO SERÁ QUE ELA TEM EM MENTE PARA MIM? ☹!!

É difícil me concentrar na lição de francês com a MacKenzie me encarando, toda vilã, do outro lado da sala.

Eu juro! Essa garota vai se arrepender muito quando

Foi isso mesmo que acabei de ver?! Max, a barata, numa... COLEIRA?!

Tudo bem, eu desisto! Não me restam dúvidas...

ESTOU CONDENADA AO FRACASSO!! ☹!!

NÃO ESQUECER

Nunca se sabe quando seu diário pode cair nas mãos erradas. Em todo caso, invente códigos que só VOCÊ seja capaz de entender!

COMO ESCREVER UM DIÁRIO NADA POPULAR - DICA nº 6

SAIBA RECORRER AO CÓDIGO SECRETO QUANDO NECESSÁRIO.

A Chloe, a Zoey e eu sempre falamos das GDPs (garotas descoladas e populares) e de RFG (risadinha, fofoquinha e gloss). Faça uma lista dos códigos que você e suas amigas usam e do que eles significam.

Você pode criar novos significados para estas siglas, e então ninguém será capaz de desvendar seus códigos!

FDS = Fim de Semana, OU Fantástico Diário Secreto, OU:

BTF = Boto Fé, OU Bem Tonta e Feliz, OU:

FRB = Fui Rapidinho ao Banheiro, OU Fui Resgatar o Batman, OU:

__FKDK__ = Fica a Dica, OU:

__PSI__ = Para sua Informação, OU:

__GDP__ = Garota Descolada e Popular, OU:

SMR = Síndrome da Montanha-Russa, OU:

FCVD = Falo com Você Depois, OU:

BRNKS = Brincadeira, OU:

NÃO ESQUECER

Embora vá passar bastante tempo escrevendo no seu diário, você também pode se expressar por meio da arte. Tente inserir DESENHOS, RABISCOS, CARICATURAS e TIRINHAS. Podem ser sérios, rebuscados, emotivos ou até bobinhos. Se você é uma artista supertalentosa, crie uma obra de arte. Senão, desenhe pessoas de palitinhos. Ou contorne sua mão e a transforme num galo, como fazia no jardim de infância. DIVIRTA-SE!

COMO ESCREVER UM DIÁRIO NADA POPULAR – DICA nº 7

LIBERTE SUA ARTISTA INTERIOR!

Aqui vai uma tirinha de quatro painéis chamada "O drama do meu diário". (Painel é apenas outro nome que se dá ao quadro com a arte dentro.)

Essa aula de matemática é MUITO chata! Consigo até sentir as células do meu cérebro MORRENDO!! AI, MEU DEUS!! E se eu virar um ZUMBI? Meu cérebro vai ficar podre e pastoso como o da MacKenzie. ECA! ☹

Não acredito que ela estava dando em cima do Brandon DE NOVO! Ele sorriu para mim no corredor. ÊÊÊÊÊ! Vou encontrar a Chloe e a Zoey hoje, no depósito do zelador, depois

Agora, você vai criar sua própria tirinha de quatro painéis! Mas, antes de começar, planeje sobre o que vai ser.

Minha tirinha se chama: _____
_____
_____
_____

PAINEL 1
O painel 1 terá um desenho de: _____
_____
_____
_____
_____

Os personagens dizem: _____
_____
_____
_____
_____
_____

PAINEL 2
O painel 2 terá um desenho de:

Os personagens dizem:

PAINEL 3
O painel 3 terá um desenho de:

Os personagens dizem:
_____
_____
_____
_____
_____
_____

PAINEL 4
O painel 4 terá um desenho de:
_____
_____
_____
_____
_____
_____

Os personagens dizem:
_____
_____
_____
_____
_____
_____

Agora, você está pronta para desenhar sua própria tirinha no espaço a seguir. DIVIRTA-SE ☺!

AULA DE ESTUDOS SOCIAIS, 10:47 DA MANHÃ

Estou começando a achar que a minha situação NÃO TEM SAÍDA!

Cheguei todos os corredores, a biblioteca e o refeitório. E acabei de fazer uma busca na sala de estudos sociais. Mas ainda não há nenhum sinal do meu diário ☹!!

Foi quando comecei a pensar que talvez alguém tenha pegado por engano.

Com quem, além da Chloe, eu andei ontem?

Bom, essa é moleza! A resposta é... ZOEY!!

Como somos assistentes de organização da biblioteca, a Chloe, a Zoey e eu passamos a hora de estudos lá. Nós juntamos todos os livros e os colocamos de volta nas devidas prateleiras.

Tenho que admitir que não lembro exatamente se estava ou não com o diário na biblioteca ontem. Mas e se ESTIVESSE...?!

AI, MEU DEUS! E se a Zoey pegou sem querer meu diário enquanto empilhava os livros numa torre gigante?

E se, enquanto estava colocando os livros de volta na estante, ela encontrou meu diário e LEU?! Ela teria um repertório de dramas suficiente para lançar seu próprio programa de auditório...

Estou tão profundamente frustrada agora que tenho vontade de chorar.

Mas o pior é essa sensação lá no fundo do estômago de que nunca mais vou ver meu diário.

Não acredito que isso está acontecendo comigo!

☹!!

NÃO ESQUECER

O diário pode ser um ótimo espaço para elaborar planos para o futuro. Faça alguns planos a curto prazo, para realizar em um mês ou menos. E faça outros a longo prazo, que possivelmente levarão um ano ou mais para se concretizar.

Lembre-se de registrar aqueles que você já realizou e fazer novos planos eletrizantes.

COMO ESCREVER UM DIÁRIO NADA POPULAR – DICA nº 8

OUSE SONHAR COM O FUTURO!

Liste três coisas que você gostaria de conquistar.

Amanhã:

Na semana que vem:

No mês que vem:
_____
_____
_____
_____
_____
_____
_____

No ano que vem:
_____
_____
_____
_____
_____
_____
_____
_____
_____
_____
_____
_____
_____

AULA DE EDUCAÇÃO FÍSICA, 11:45 DA MANHÃ

Eu mal tinha pisado na quadra quando a Chloe e a Zoey vieram correndo na minha direção.

"Oi, Nikki!", disse a Chloe, parecendo preocupada. "Ficamos esperando você em frente ao seu armário, na hora da entrada e depois da segunda aula. Pensamos que estivesse em casa doente ou algo assim."

"É, estamos contentes em te ver", disse a Zoey. "Se bem que, para falar a verdade, você parece MESMO meio mal. Está tudo bem?", ela perguntou e me deu um abraço bem forte.

Eu NÃO mereço amigas como a Chloe e a Zoey!

Como fui CAPAZ de suspeitar que minhas melhores amigas encontrariam meu diário, leriam e então compartilhariam com o mundo inteiro? Eu poderia confiar minha VIDA a elas!

Fui tomada por uma onda de culpa. Foi quando decidi contar à Chloe e à Zoey o que havia acontecido.

Abaixei o tom de voz e comecei a sussurrar.

NA VERDADE, EU ESTOU *MESMO* MEIO MAL. EU ACHO QUE, HUM, PERDI O MEU... DI-DIÁRIO!!

VOCÊ PERDEU O SEU DIÁRIO?!

Eu NÃO podia acreditar que a Chloe e a Zoey tinham gritado diante da turma TODA de educação física que eu tinha perdido meu diário!

TODO MUNDO ouviu e ficou olhando para a gente.

"SHHHHHHHHHHHH!!",

eu gritei sussurrando. "Eu estava tentando manter isso em segredo! Aliás, eu contei que a MacKenzie sabe que o meu diário desapareceu? Ela também está procurando por ele."

"Isso não é nada bom!", disse a Chloe, contorcendo o rosto como se tivesse sentido um cheiro muito ruim.

"Bom, amigas, acho que isso significa que NÓS vamos ter que encontrar o diário antes da Miss Perfeição!", disse a Zoey, com as mãos na cintura.

"É! E a MacKenzie e suas GDPs não são páreo para a gente! Certo?", a Chloe concluiu, fazendo uma dancinha da vitória.

Fiquei tão emocionada que comecei a engasgar no meio dos meus polichinelos.

Se meu diário estiver em algum lugar deste colégio, minhas melhores amigas, a Chloe e a Zoey, são definitivamente as pessoas ideais para me ajudar a encontrá-lo.

Talvez haja uma saída, no fim das contas.

☺!!

NÃO ESQUECER

Ter um diário é uma boa maneira de perceber que nem sempre as coisas são tão ruins quanto parecem. Você pode usá-lo para planejar eventos empolgantes e atividades divertidas. Está se sentindo mal? Faça uma festa e convide todos os seus amigos!

COMO ESCREVER UM DIÁRIO NADA POPULAR - DICA nº 9

NÃO SEJA UMA DESMANCHA-PRAZERES! DIVIRTA-SE E CELEBRE A SI MESMA!

Complete o seguinte exercício:

É A MINHA FESTA!!

SURPRESA! Você está se dando uma grande festa, porque você merece.

Que tipo de festa vai ser?

☐ Festa a fantasia   ☐ Festa do pijama

☐ Festa na piscina   ☐ Balada

☐ Caça ao tesouro   ☐ _____
                        PREENCHA A LACUNA

Onde vai ser?

Que tipo de comida vai ter?

LISTA DE CONVIDADOS PARA A MINHA FESTA

AMIGOS
(Liste dez amigos que você convidaria para a sua festa.)

CONVIDADOS ESPECIAIS

(Liste dez pessoas que você convidaria para a sua festa. Podem estar vivas ou não: figuras históricas, personagens dos seus livros, filmes ou seriados favoritos, celebridades, atletas etc.)

REFEITÓRIO, 12:25

Eu me debrucei sobre o meu almoço como um zumbi. O cheiro de suflê podre nem me incomodou.

"É como se o meu diário tivesse virado pó", resmunguei. "Não tenho ideia de como o perdi. Como posso ser tão estúpida?"

A Zoey apertou meu ombro em solidariedade. "Não fique assim, Nikki. Além disso, três cabeças pensam melhor que uma. Vamos todas tentar lembrar se você estava com ele no almoço ontem, começando do momento em que sentamos para comer."

"Humm." A Chloe coçou a cabeça, ficou vesga e estalou a língua. Ela só fazia isso quando estava realmente mergulhada em pensamentos. Eu quase podia ouvir as engrenagens no cérebro dela. "Ontem no almoço?"

"Bom, a Zoey abriu o suco de maçã e tomou um gole. Então eu disse: 'Nikki, você vai comer essa batatinha?' E ela respondeu: 'Eu ia, até você pegar, cheirar e me perguntar se eu ia comer'. Daí eu disse: 'Valeu pela batatinha!' Então perguntei à Zoey se eu podia dar uma mordida nos famosos bolinhos de blueberry da mãe dela, porque aquela coisa é uma loucura de tão gostosa. E daí a Zoey disse..."

"Hum, Chloe, que tal simplesmente pular todos os detalhes?", pedi, tentando ao máximo manter a calma.

"Bom, para ser honesta, não lembro exatamente se você estava ou não com o diário ontem no almoço", ela admitiu. "Mas eu me lembro BEM da vez em que você o jogou no lixo por acidente quando foi limpar a bandeja."

Os olhos da Zoey brilharam. "Uau! A Chloe levantou uma boa questão. Se aconteceu uma vez, pode ter acontecido de novo. Nikki, talvez... você tenha jogado ele fora!"

"AI, MEU DEUS! Vocês acham que eu joguei meu diário fora?! E se foi isso MESMO?!", choraminguei.

EU, ACIDENTALMENTE JOGANDO MEU DIÁRIO FORA NO ALMOÇO??!!

Foi quando saltei da mesa.

"Venham, meninas, temos só treze minutos até o fim do horário de almoço."

"Aonde vamos?", a Chloe perguntou.

"Até a caçamba de lixo do colégio!", gritei por sobre o ombro.

"Você só pode estar brincando!", disse a Zoey, com cara de nojo.

"A boa notícia é que a MacKenzie JAMAIS pensaria em procurar lá!" Eu me senti esperançosa de novo.

Eu e a Chloe corremos pelo refeitório em direção à porta dos fundos, que dava para o lado de fora do colégio, enquanto a Zoey vinha atrás.

"Pessoalmente, acho que a MacKenzie não quer ler seu diário TANTO assim", a Zoey resmungou.

Assim que nos aproximamos da caçamba, o fedor de peixe de três dias atrás e de leite azedo quase me nocauteou.

Mas eu estava desesperada.

Então simplesmente cerrei os dentes, prendi a respiração e cuidadosamente vasculhei ali dentro.

"Estou num lugar feliz! Estou num lugar feliz! Estou num lugar feliz!", repetia a Zoey conforme entrava junto.

Ela estava fazendo um de seus exercícios bobos de meditação, mas não estava funcionando.

"Você sabe que este lixo está cheio de bactérias carregadas de doenças, não sabe?", a Zoey implicou. "Quando chegar em casa, vou tirar minhas roupas e queimá-las!"

A Chloe já estava dentro da caçamba, ocupada explorando o lixo.

Mas quer saber a parte mais BIZARRA?

Ela parecia estar se divertindo!

CHLOE, ZOEY E EU PROCURANDO
MEU DIÁRIO NA CAÇAMBA

"Se meu diário estiver aqui, provavelmente estará na parte de cima", eu disse, espantando uma mosca-
-varejeira.

Infelizmente, tudo que conseguimos encontrar no meio da comida podre foram tacos de hóquei quebrados, bolas de basquete murchas e provas com grandes zeros em vermelho. Nenhuma era minha, eu juro!

"Ei! Vejam isso!", a Chloe gritou toda feliz.

"AI, MEU DEUS! Você achou meu diário?", perguntei empolgada.

"Ainda não, mas esse chapéu meio amassado não é uma gracinha?" Ela botou o chapéu e fez uma pose. "Agora eu pareço uma celebridade!"

"É legal, mas precisamos continuar procurando", bufei.

Um minuto depois, ouvi um agudo "ÊÊÊÊÊÊÊÊ!!". Era a Chloe. De novo!

"Que foi?! Que foi?!", perguntei ansiosa.

"AI, MEU DEUS! É a *Gatos vampiros* deste mês!"

Ela segurou a revista junto ao peito e a abraçou.

"Como é que alguém joga fora uma coisa dessas? Achado não é roubado!"

"Pelo amor de Deus, Chloe!", disse a Zoey, revirando os olhos. "Chega de palhaçada!"

"Eu estou procurando. Credo!" A Chloe empurrou um saco de lixo e se agachou para pegar alguma coisa.

"AI. MEU. DEUS!", ela gritou, surtada.

Suspirei. "Por favor, diga que é o meu diário desta vez."

"É um ursinho Harry-Me-Dê-Um-Abraço!" Ela apertou o urso de pelúcia encardido. "Vou ficar com ele."

"Que maravilha!", murmurei, dando uma olhada no relógio, que estava coberto com uma grossa camada de mostarda. "O almoço está quase acabando e nós mal vasculhamos a parte de cima. Acho que NUNCA vou encontrar meu diário."

Escalei a caçamba para sair dali.

Derrotada. E muito, muito fedida.

"Ei! Eu sei exatamente o que vai levantar o seu astral", disse a Chloe, com uma irritante voz de bebê. "Que tal um enorme ABRAÇO DE URSO?"

Então ela esfregou o Harry encardido bem na minha cara.

E eu, tipo: *AH. NÃO. ELA. NÃO. FEZ. ISSO!!*

A Chloe deve ter perdido completamente o juízo.

E a Zoey não estava ajudando muito, rindo como um esquilo histérico.

Mas, já que elas são as minhas melhores amigas, decidi NÃO ficar brava com a situação.

Então... eu simplesmente abracei aquele urso idiota.

Estou com vergonha de admitir, mas o Harry-Me-Dê--Um-Abraço até que FEZ com que eu me sentisse um pouco melhor. Quando consegui superar o fedor. ☺!!

NÃO ESQUECER

Às vezes, as coisas mais insignificantes podem gerar as melhores lembranças. Não jogue fora o ingresso daquele show incrível ou daquele filme de sucesso que você foi assistir. Guarde o bilhete hilário que sua melhor amiga passou para você na aula de matemática. Fique com aquele desenho fofo do seu paquera que você fez no guardanapo. Você pode usar seu diário para guardar e curtir essas pequenas coisas.

COMO ESCREVER UM DIÁRIO NADA POPULAR — DICA nº 10

FAÇA DO SEU LIXO UM TESOURO.

Encontre dois itens que façam você se lembrar de coisas boas.

Cole o primeiro deles no espaço a seguir.

Agora escreva sobre o que você colou na página anterior e como isso foi parar nas suas mãos, para nunca esquecer.

Agora cole aqui o segundo item e escreva sobre ele logo abaixo.

AULA DE BIOLOGIA, 1:30 DA TARDE

Hoje está se tornando o dia de aula mais longo da minha VIDA.

POR FAVOR, POR FAVOR, POR FAVOR, acabe logo.

Não sei por mais quanto tempo vou aguentar.

Quando cheguei à aula de biologia, parecia que o colégio INTEIRO estava fofocando sobre o meu diário desaparecido ☹!! Pensei seriamente em fingir uma dor de cabeça e ir para casa mais cedo.

Tentei ao máximo ignorar todos os olhares e sussurros na sala de aula. Mas estava muito difícil fazer isso com a MacKenzie falando mal de mim bem na minha cara.

Eu estava tão mal-humorada que mal disse "oi" para o meu paquera, o Brandon. Mesmo com ele me abrindo um sorriso e dizendo que tinha algo importante para me dar depois da aula.

Eu sinto muito, mas a última coisa de que eu precisava era outro projeto extracurricular. Ainda que isso significasse nós dois juntos estudando no laboratório durante uma hora.

Embora nosso colégio tenha regras rígidas proibindo celulares na sala de aula, fiquei observando, entretida (e com um pouco de inveja), a MacKenzie mandar torpedos loucamente. Tudo isso enquanto a nossa professora, a sra. Kincaid, desenhava diagramas de moléculas na lousa e falava sem parar sobre o tópico mais entediante do mundo em microbiologia.

Isto é muito triste, mas é a pura verdade: a MacKenzie poderia matar alguém e sair impune da situação! E todo mundo no WCD, até mesmo os professores, ficariam olhando na outra direção.

Ou não.

"ADP é uma molécula derivada da ATP por meio da quebra de um grupo de fosfatos. A quebra resulta na liberação de energia, que é utilizada nas reações biológicas e... Srta. Hollister, a senhorita parece bem ocupada com o seu celular enquanto estou aqui tentando dar aula. Espero não estar atrapalhando."

Eu NÃO podia acreditar que a nossa professora tinha dito aquilo!

Ficou um enorme silêncio na sala, daria para ouvir um alfinete caindo no chão. Todo mundo, inclusive a professora, estava encarando a MacKenzie.

Mas a garota estava tão ocupada com as mensagens de texto que nem percebeu.

Frustrada, a sra. Kincaid elevou o tom de voz. "Srta. Hollister! POR FAVOR, guarde o telefone! Agora!"

Aparentemente, a MacKenzie não ouviu uma única palavra.

Muito irritada, a sra. Kincaid caminhou até a cadeira dela e ficou ali de pé.

Mas a MacKenzie estava tão entretida que continuou digitando.

Foi então que...

AI, MEU DEUS! Aquilo foi TÃO engraçado!

A MacKenzie quase caiu da cadeira.

E a sra. Kincaid confiscou o telefone dela.

A sala toda chorou de rir, e, por meio segundo, fiquei com peninha da MacKenzie.

Mas ela mereceu muito!

"MacKenzie, você conhece as regras. Tolerância zero para o uso de celular em sala de aula. Vou devolvê-lo em dez dias, DEPOIS que eu receber uma redação de cinco páginas sobre por que telefones celulares não devem ser permitidos em sala de aula. Entendeu?"

Parecia que a MacKenzie estava prestes a MORRER de vergonha. "A-acho que sim!", ela gaguejou.

"E, já que a sua mensagem é TÃO importante a ponto de interromper nossa aula, acho justo compartilhar com TODOS nós."

A MacKenzie ficou completamente PÁLIDA.

A sra. Kincaid mexeu no telefone e leu a última mensagem em voz alta.

"De Brady Grayson: 'Não, é arriscado demais. Tenho treino de futebol mais cedo hoje, mas posso te devolver depois. Me encontre no ginásio às três horas.'"

A sala toda riu alto.

Com a MacKenzie suficientemente humilhada, a professora retomou a aula.

"Onde eu estava?... ADP, acho. ADP é uma molécula derivada da ATP por meio da quebra de um grupo de fosfatos..."

Depois do fim da aula, eu não tinha a menor intenção de ficar enrolando por ali.

"Ei, espera! Quero te dar uma coisa!", disse o Brandon, abrindo a mochila.

"Na verdade, preciso encontrar a Chloe e a Zoey agora..."

"Só um minuto. Ouvi dizer que você perdeu seu diário. Então, até encontrá-lo, queria te dar isso..."

O Brandon me entregou um pacote fino e retangular, embrulhado em folhas de caderno.

Abri e fiquei totalmente surpresa ao ver que era um caderno de espiral.

"Não é nada de mais. É que eu tinha uns cadernos sobrando no meu armário. Achei que você poderia fazer bom uso."

Só fiquei olhando para ele, sem palavras.

Foi um dos presentes mais fofos que alguém já me deu. Nos últimos tempos.

"O-obrigada, Brandon!", gaguejei e fiquei supervermelha. "É uma... cor muito legal! E tem 256 páginas e custa 3,79. Quero dizer, uau!"

Ele sorriu e também ficou vermelho. "Fico contente que tenha gostado."

"Gostei mesmo. Muito!"

"Hum, acho que nos vemos amanhã então."

"Sim, no mesmo lugar!"

"Tchau!"

"Tchau! Valeu mesmo!"

Coloquei o caderno na mochila e saí da sala.

Mas, na minha cabeça, eu estava fazendo a minha "dancinha feliz do Snoopy".

Depois disso, tive um ataque inevitável de SMR (Síndrome da Montanha-Russa). AI, MEU DEUS! Parecia que eu tinha, tipo, mil borboletinhas no estômago. ÊÊÊÊÊÊÊÊÊÊÊ! ☺!!

NÃO ESQUECER

Às vezes você tem vontade de dizer as coisas que lhe vêm à cabeça em alto e bom som, mas fica meio nervosa ou com medo?

Embora você não queira ser grossa, pode ser bom dizer às pessoas exatamente o que você pensa e o que sente. Caso contrário, você acaba dizendo isso só dentro da sua cabeça, e ninguém mais escuta além de você. E, depois de um tempo, acaba cansando.

COMO ESCREVER UM DIÁRIO NADA POPULAR - DICA nº 11

ESCREVA TUDO AQUILO QUE VOCÊ SÓ DIZ DENTRO DA SUA CABEÇA.

O QUE EU DISSE DENTRO DA MINHA CABEÇA...

Que coisas você só disse dentro da sua cabeça, mas pensou em dizer para:

1. Suas melhores amigas?

2. Alguém do colégio que nem sempre é superlegal com você?

3. Seus pais?

4. Seus irmãos ou irmãs?

5. Seu paquera?

AULA DE GEOMETRIA, 2:00 DA TARDE

AAAHHH ☹!!

Isso fui eu gritando.

NÃO POSSO acreditar como fui BESTA!!

Eu, a Chloe e a Zoey decidimos conferir de novo os achados e perdidos entre as aulas.

Principalmente porque a Jessica agora é assistente na secretaria durante o sexto período, e nós queríamos pegar o diário antes dela.

Quando entramos, vimos duas garotas sentadas no chão atrás do balcão, jogando loucamente os itens de volta para a caixa de achados e perdidos.

Não ficamos NEM UM POUCO surpresas ao ver que eram a **MACKENZIE** e a **JESSICA.**

Ambas pareceram um pouco surpresas por ver a gente ali.

A MacKenzie rapidamente agarrou e fechou sua bolsa. "Jess, obrigada por me ajudar a encontrar... meu... ããã, gloss. A gente se vê na aula."

A Jessica veio até o balcão e nos abriu seu sorriso mais falso. "Oi, meninas. Posso ajudar?"

Não havia a menor chance de eu discutir meus assuntos particulares com ELA. "A sra. Pearson está?"

"Na verdade, não. Ela vai voltar de uma reunião em dez minutos. Tem alguma coisa que eu possa fazer por você?", ela perguntou, trocando olhares com a MacKenzie enquanto se esforçava ao máximo para não rir.

"Espero que você não tenha perdido nada de muito importante", rosnou a MacKenzie. "Você sabe, tipo um diário com um bolso na capa. Nem perca seu tempo conferindo os achados e perdidos, porque definitivamente NÃO está ali! Não é, Jessica?"

Eu, a Chloe e a Zoey NÃO podíamos acreditar que ela tinha dito aquilo na nossa cara.

Não havia dúvidas de que a MacKenzie tinha encontrado meu diário. E eu tinha certeza de que estava enfiado na bolsa dela.

"MacKenzie, quero meu diário de volta", eu disse, olhando diretamente naqueles pequenos olhos brilhantes.

"É! Passa pra cá!", bufou a Chloe.

"AGORA!", atacou a Zoey.

A MacKenzie só jogou o cabelo e nos encarou.

NÃO FAÇO A MENOR IDEIA DO QUE VOCÊS, OTÁRIAS, ESTÃO FALANDO. DEVE ESTAR NA HORA DO SEU REMEDINHO!

Mas alguma coisa me dizia que ela estava mentindo.

"Não é seu, então devolva", ordenei.

"Bom, talvez esteja comigo. Ou talvez não. Você nunca vai..."

A MacKenzie parou no meio da frase, distraída por algo atrás da gente. A cara fechada dela rapidamente se transformou em um deslumbrante — mas muito falso — sorriso.

Eu me virei bem quando o diretor Winston entrou a passos largos na sala. "Boa tarde, meninas!", ele disse.

"Gente! Olhem a hora. Preciso correr! Vejo você na aula de geometria, Nikki." Ela pegou a bolsa e saiu correndo, nervosa, pela porta.

Troquei olhares com a Chloe e a Zoey, que rapidamente se colocaram na frente da MacKenzie, bloqueando a passagem para que ela não pudesse sair.

A MacKenzie lançou um olhar ameaçador para elas, mas era tarde demais.

Respirei fundo. "Oi, diretor Winston. Será que o senhor poderia nos ajudar com um probleminha?"

Ele parou e ajeitou os óculos. "Claro! Digam, o que está acontecendo?"

A MacKenzie deu uma piscadinha inocente e tentou tomar o controle da situação. "Na verdade, diretor Winston, o problema é que a Nikki parece estar pensando que eu peguei um livro que pertence a ela."

"Não estou pensando. EU SEI que ela pegou!", exclamei.

Ela fungou e fingiu estar prestes a chorar. "Eu estava dizendo a ela que não estou com aquele diário imbecil. Mas ela não acredita em mim. Não sei por que ela diria algo tão maldoso a meu respeito, depois de eu ter sido tão legal lhe dando conselhos grátis de moda. Olhe para ela, diretor Winston. Ela precisa mesmo dos conselhos. Nosso mascote, o Lagarto Larry, tem um guarda-roupa melhor que o dela..."

"Então como você sabia que o meu diário sumiu? E que tem um bolso na capa?", indaguei.

Todos na sala, incluindo o diretor Winston, olharam para ela, esperando pela resposta.

A MacKenzie mordeu o lábio e começou a se contorcer.

"Bom, na verdade... hum, o colégio todo sabe. A Chloe e a Zoey anunciaram na aula de educação física. E você escreve nele todo santo dia. Por isso eu sei que tem um bolso na capa. Mas eu juro! Não está comigo!"

"Essas alegações não serão menosprezadas", o diretor Winston disse em tom sério e cruzou os braços. "Espero que consigam resolver isso entre vocês, meninas, porque se eu tiver de me envolver..."

A MacKenzie ficou vermelha e olhou para a bolsa.

"Tudo bem, Nikki! Se você não acredita em mim, vá em frente! Examine minha bolsa!" Daí ela fungou e derramou algumas lágrimas falsas para dar um efeito dramático.

Ela tirou da bolsa quatro tubos de gloss labial, Tic Tacs e uma escova e colocou tudo no balcão.

Então fechou os olhos e me empurrou a bolsa como se estivesse entregando seu novo cachorrinho de estimação a um canil cruel.

A BOLSA DA MACKENZIE ESTAVA VAZIA!

Tudo que consegui fazer foi ficar completamente chocada.

O que será que aquela garota tinha feito com o meu DIÁRIO?!

"Obrigado, srta. Hollister!", disse o diretor Winston, em tom de aprovação. "Estou MUITO impressionado com a sua integridade."

Mas eu estava passada! Como ela havia me enganado daquele jeito?

"ENTÃO...?!", o diretor me encarou e começou a bater os dedos no balcão, impaciente.

"Ããã, acho que e-ela não está com o meu d-diário, no fim das contas", gaguejei.

Senti tanta vergonha. Queria pegar o cesto de lixo da secretaria e usar para cobrir a palavra "IDIOTA" que tinha acabado de ser estampada na minha testa.

Eu, a Chloe e a Zoey trocamos olhares nervosos.

"Bom, srta. Maxwell, acho que você deve um pedido de desculpas à srta. Hollister", o diretor disse enquanto a MacKenzie sorria como um anjinho que tivesse acabado de ganhar asas.

Fiquei tão brava que me deu vontade de... CUSPIR!

Precisei de toda a força de vontade do mundo para não dar um tapa na cara daquela LADRAZINHA AFETADA!!

Com a cabeça baixa, tentei engolir o grande nó na minha garganta.

"Humm, d-desculpa!", murmurei.

"Oi? O que foi que ela disse? Não consegui ouvir!", a MacKenzie choramingou como uma pirralha mimada.

"Eu disse: 'DESCULPA'!"

"Agora, srta. Maxwell, espero que pense duas vezes antes de acusar alguém assim de novo. Entendeu, mocinha?"

Balancei a cabeça. "Sim, senhor..."

O diretor olhou para o relógio. "Bom, meninas, tenho uma conferência por telefone em exatos dois minutos. Fico contente por termos resolvido esse problema, para o bem de todos."

Então ele foi para sua sala e fechou a porta.

Conforme a Chloe e a Zoey caminhavam comigo até o meu armário, minha cabeça girava. "Eu me sinto TÃO idiota! Peço desculpas por ter arrastado vocês junto", murmurei.

"Ei, não se preocupe com isso", disse a Zoey. "Nós também achamos que a MacKenzie estava com o seu diário."

"Você tem que admitir, ela *ESTAVA* agindo de forma muito suspeita", a Chloe concordou. "Mas não se preocupe, Nikki. Tenho certeza de que o seu diário vai aparecer quando a gente menos esperar."

Apesar de tudo que havia acabado de acontecer, eu ainda tinha o forte pressentimento de que a MacKenzie não era tão inocente quanto fingia ser.

E agora, se as páginas do meu diário acabarem penduradas nas portas do banheiro, o diretor Winston NÃO vai nem considerá-la suspeita.

A MacKenzie vai acabar se safando de arruinar a minha vida, e não há nada que eu possa fazer para impedi-la.

Eu realmente odeio admitir, mas caí direitinho na armadilha dela. *DE NOVO!!* ☹!!

NÃO ESQUECER

Ter uma boa memória ajuda a manter um diário. Assim, você vai ser capaz de, mais tarde, escrever tudo que aconteceu no seu dia.

AI, MEU DEUS! Quase MORRI quando vi o Brandon no corredor de cereais. A gente ficou se encarando, tipo, por uma eternidade. E quando nós dois pegamos a mesma caixa de Froot Loops, ele sorriu para mim. No caminho de volta para casa, eu estava NO MUNDO DA LUA. E agora que me lembrei do que aconteceu, eu percebi que...

...ESQUECI A BRIANNA NO MERCADO!!
AAAHHH!!!

COMO ESCREVER UM DIÁRIO NADA POPULAR - DICA nº 12

NÃO SE ESQUEÇA DE LEMBRAR.

O que você comeu hoje no café da manhã?

Qual foi o look mais legal que você viu hoje? E quem estava vestindo?

Qual foi a última música que você escutou?

Qual foi a coisa mais engraçada que você ouviu hoje? Quem foi que falou?
_____
_____
_____
_____
_____
_____
_____
_____
_____
_____
_____

Você sonhou na noite passada? Se sim, como foi?
_____
_____
_____
_____
_____
_____
_____
_____
_____
_____
_____

Você falou com alguém ao telefone hoje? Sobre o quê?

Qual foi a coisa mais inteligente que você disse hoje?

BIBLIOTECA, 2:35 DA TARDE

Estou TÃO chateada com a MacKenzie que mal consigo focar na organização dos livros da biblioteca.

Eu simplesmente SEI que ela está com o meu diário.

Mas, depois daquele fiasco SUPERconstrangedor com o diretor Winston, ficou claro que ela não é burra a ponto de guardar meu diário na própria bolsa e correr o risco de ser pega.

Mas, se a MacKenzie não estiver com ele,

QUEM ESTARÁ ☹?!!

Estou TÃO profundamente confusa! Sinto que estou me afogando numa gigantesca onda de desilusão.

Só a ideia de meu diário estar passando de mão em mão, todo mundo lendo como se fosse a última edição do jornal do colégio, me deixa enjoada.

Segurando as lágrimas, suspirei e olhei pela janela da biblioteca. O time de futebol tem jogo amanhã, então eles estavam treinando ali no campo.

Fiquei me perguntando quantos deles leriam meu diário e fariam de tudo para tornar minha vida um inferno. A hora do almoço seria insuportável!

Eu tinha certeza de que o Brady, o capitão do time, seria o líder da gangue. Não só porque ele anda caidinho pela MacKenzie, mas também porque ela foi flagrada enviando mensagens de texto para ele durante a aula de biologia e...

Foi quando me deu um estalo!

"AI, MEU DEUS! AI, MEU DEUS! CHLOE! ZOEY! EU ACHO QUE SEI QUEM ESTÁ COM O MEU DIÁRIO . . . !!!"

NO CORREDOR DO LADO DE FORA DO VESTIÁRIO MASCULINO, 2:45 DA TARDE

NEM PENSAR! Eu NÃO PODIA fazer isso!

POR QUÊ?! Porque alguém poderia acabar MORTO, só por isso.

No caso... EU ☹!!

A Chloe e a Zoey bolaram o esquema MAIS MALUCO de todos. E eu tinha certeza de que:

1. O plano delas NUNCA funcionaria.

2. Nós seríamos pegas.

3. Nós levaríamos suspensão.

E então meus pais iriam me MATAR ☹!!

E, se eu estiver MORTA, provavelmente NUNCA MAIS vou encontrar meu diário.

Nós três pedimos para ir ao banheiro, então SUPOSTAMENTE estávamos no banheiro feminino.

Mas NÃÃÃÃÃÃO!!!

Estávamos nos esgueirando do lado de fora do vestiário masculino. Basicamente porque eu, a Chloey e a Zoey chegamos à conclusão unânime de que o meu diário estava ali.

TINHA que estar!

Achamos que a MacKenzie deu o diário ao Brady e eles estavam trocando mensagens de celular sobre isso.

Já que os jogadores do time de futebol estavam treinando, a mochila do Brady estava em algum lugar do vestiário masculino.

"Tudo que precisamos fazer é simplesmente entrar, achar o armário com a mochila do Brady e pegar o seu diário!", a Zoey sussurrou tão alto que a voz dela pareceu ecoar pelos corredores e em todas as salas de aula deste lado do prédio.

"Você tá MA-LU-CA?!!", chiei. "E se formos pegas?!"

"Não se preocupe!", a Chloe assegurou. "É só pensar no que a heroína do seu romance favorito faria nessa situação."

"Ah, tá!", murmurei. "Então onde é que eu vou encontrar um vestido de formatura e um bando de garotos lobisomens sem camisa numa sexta-feira à tarde?! Só tô dizendo!"

A Chloe revirou os olhos para mim.

Eu realmente apreciava o fato de a Chloe e a Zoey estarem tentando me ajudar a achar o diário e tudo o mais. Mas eu tenho de admitir que às vezes me preocupo seriamente com as duas.

"Ninguém entrou ou saiu nos últimos minutos", a Chloe sussurrou. "Acho que não tem ninguém lá!"

"Escutem, meninas", comecei, "acho que devíamos voltar para a biblioteca antes que..."

"Certo! Vamos rápido!!", a Zoey disse empolgada.

Antes que eu pudesse perguntar "O que...??!", elas correram até a porta do vestiário e espiaram lá dentro.

"AI, MEU DEUS! CHLOEEEE!! ZOEEEEY!! NÃÃO!", eu sussurrei o mais alto que pude.

Mas era tarde demais. Não tive escolha a não ser ir atrás delas.

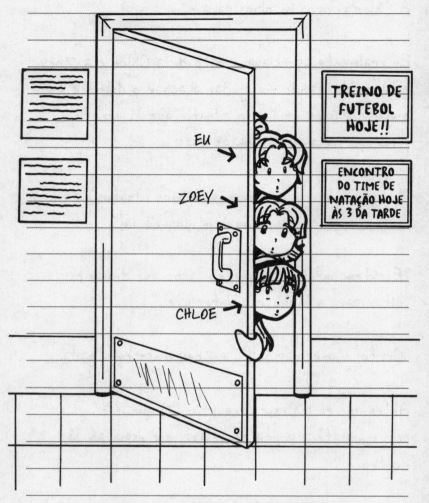

Eu NÃO podia ACREDITAR que estava mesmo dentro do vestiário masculino!! É um espaço grande, quadrado, com armários em três das paredes.

É bem maior que o feminino e tem uma área com uma fileira daquelas coisas de banheiro masculino.

Eu, a Chloe e a Zoey logo começamos a procurar dentro de cada armário, um após o outro.

"Rápido!", a Zoey gritou por sobre o ombro. "Tem um aviso na parede dizendo que o time de natação vai se encontrar aqui em dez minutos, então não temos muito tempo!"

Lutei contra o impulso de entrar em pânico e sair dali correndo e gritando.

Tínhamos acabado de vasculhar o vestiário todo, sem sorte. Aí, quando eu estava abrindo o penúltimo armário, vi o nome do Brady numa mochila.

"Aquele ladrãozinho burro e imprestável", murmurei, fuçando a mochila.

Senti um livrinho embaixo de um gibi do Homem-
-Aranha.

Não consegui me controlar. "Chloe! Zoey! Encontrei!", gritei.

Elas vieram correndo e se aglomeraram ao meu redor.

"Tem que ser muito nojento para roubar o... livro de receitas *Cupcakes para qualquer ocasião?!*", balbuciei. Fiquei segurando o livro diante de mim, chocada e desapontada.

Na capa, havia cupcakes decorados com carinhas de cachorros e gatos. Senti os sorrisos açucarados deles rindo de mim.

Mas eu não tinha tempo para lamentar o fato de meu diário ainda estar perdido por aí.

Ouvi a voz grossa de um homem e passos pesados se aproximando da porta do vestiário. Cheguei a mencionar que é a ÚNICA porta do lugar?

Meu coração quase parou. A Chloe e a Zoey congelaram.

Elas olharam para mim e então para a porta, com terror absoluto no olhar. Não tínhamos como sair vivas dali.

Continuamos observando aterrorizadas quando uma mão peluda empurrou a porta até o meio do caminho... e então parou!

"... Como assim, temos só dois ônibus para o jogo amanhã? Eu pedi TRÊS ônibus! Como é que vamos jogar só com uma parte do time?! Seria melhor cancelar! Não, eu NÃO estou cancelando. Eu disse... O quê? Se eu posso esperar um pouco? Você tem outra ligação? Não! Eu não posso esperar! Preciso dos meus ônibus!!..."

O cara estava tendo uma conversa telefônica bem ali na porta. E, para nossa sorte, uma conversa BEM longa.

Foi quando notei um carrinho enorme de uniformes sujos e equipamentos, a uns três metros de distância.

"Chloe! Zoey!", sussurrei e apontei.

Elas imediatamente entenderam o plano. Em questão de segundos, nós três estávamos ao lado do carrinho.

Pegamos camisas, calças, capacetes e chuteiras e nos vestimos mais rápido do que nunca. E bem na hora!

As narinas do treinador Rowling "Rolo" se dilataram quando ele nos viu ali, de uniforme, mexendo as mãos, nervosas.

"Que diabos está acontecendo?", ele gritou. "Por que é que temos três jogadores parados aqui como se estivessem esperando o ônibus? Qual é a sua desculpa, Clayton?"

Ele apontou para a Zoey, que estava usando a camisa com o nome "Clayton" nas costas. Ela tremeu tanto que o capacete chacoalhou.

"Responda! Qual é o problema, Clayton? O gato comeu sua língua?"

"Os ho-homens não são prisioneiros do destino, e sim de sua própria mente", ela gaguejou. "Franklin D. Roosevelt."

O treinador Rowling franziu a testa e encarou a Zoey como se ela tivesse acabado de responder em sueco.

"Isso não faz sentido! Você se acha engraçado? Que tal correrem vinte voltas em torno do campo e então irem para o chuveiro? ISSO sim é engraçado!"

Alguém do lado de fora do vestiário limpou a garganta bem alto. "Com licença, treinador..."

A Chloe, a Zoey, eu e o treinador Rowling nos viramos para ver quem era.

O Brandon estava parado na porta, com a câmera em volta do pescoço.

AI, MEU DEUS! Quase DESMAIEI ali mesmo!

"Estou aqui para tirar uma foto sua para a reportagem sobre o Treinador do Ano. Não é uma boa hora?"

O treinador Rowling ajeitou a postura. "Claro que sim, filho. Eu só estava repassando a estratégia para o grande jogo de amanhã", ele mentiu. "Estes garotos podem lhe dizer que sou casca-
-grossa, e é por isso que nunca perdemos. Nada passa por mim. Não, senhor!" Ele riu e me deu um soquinho no ombro.

"Ai!", reclamei antes de pensar. "Quer dizer, AAI!", repeti, com a minha voz mais grave e masculina.

O Brandon me encarou, depois olhou para a Chloe e a Zoey, por um tempo que pareceu, tipo, uma eternidade.

Balançando a cabeça, ele piscou espantado.

FOMOS PEGAS NO FLAGRA!

"Ei, vamos lá fora. Você pode tirar algumas fotos minhas atuando." O treinador Rowling fez uma daquelas poses toscas, como se estivesse correndo com a bola pelo campo.

"Na verdade... você se importa se eu roubar esses garotos do treino?", o Brandon perguntou, apontando para a Chloe, para a Zoey e para mim. "Eu, humm, queria entrevistá-los para a reportagem, para que os leitores saibam como, humm... você é um treinador incrível."

"Ele é simplesmente o treinador mais incrível DE TODOS OS TEMPOS!", murmurei com a minha terrível voz de garoto.

"Ele é o cara!", a Zoey grunhiu.

"É, mano", a Chloe acrescentou. "E ele deixa a gente fazer coisas legais de garotos, tipo arrotar. E bater nas coisas. E brincar na piscina de bolinhas da Queijinho Derretido e..."

Dei um chute nela para calá-la. É evidente que o único garoto que a Chloe conhece é o irmãozinho dela, o Joey.

"Certo!", o Brandon riu, nervoso. "Então... de qualquer forma, treinador, tudo bem por você? Depois que eu entrevistar o time Rowling, vou fotografar você em ação."

"Time Rowling? Gosto de como isso soa. Não tenha pressa, faça como quiser. Quando você estiver pronto, estarei no campo."

O treinador Rowling piscou para ele e foi embora.

Ficamos ali parados, em silêncio, até ouvir a porta fechar.

"Nikki, Chloe, Zoey! O QUE vocês estão fazendo vestidas de jogadores de futebol no vestiário MASCULINO?!", o Brandon perguntou.

"Na verdade, eu posso explicar." Tirei o capacete. "Estávamos procurando o meu diário. Achamos que a MacKenzie pudesse ter dado para o Brady, então decidimos fuçar a mochila dele." Balancei a cabeça, envergonhada. "Mas eu estava errada. Não estava com ele."

"Bom, é melhor vocês saírem daqui! Antes que o treinador se lembre daquelas voltas e venha procurar vocês."

"Obrigada por salvar a nossa pele", a Zoey disse.

"Sem problemas. Espero que encontre seu diário, Nikki."

O Brandon abriu um sorriso sincero para mim, do tipo que normalmente teria me feito derreter como picolé.

Mas, considerando o fato de que minha vida estava arruinada, abri apenas meio sorriso. "Obrigada, Brandon. Valeu mesmo por nos ajudar a sair dessa confusão", agradeci.

Mas meu coração havia perdido todas as esperanças.

Eu não queria mais sujeitar meus amigos, nem a MIM mesma, a mais dramas.

NOTA PARA O MEU FUTURO EU:

Querido Futuro Eu,

Se estiver lendo isto, é porque provavelmente fui humilhada em público e banida pela MacKenzie para alguma ilha desconhecida do Pacífico.

Embora eu seja uma eremita doida agora, por favor avise a Brianna que ela ainda não pode entrar no meu quarto. Espero que tenha dado tudo certo entre você e o Brandon.

Com amor,
Nikki Maxwell

P.S.: Por favor, queime este diário para que ninguém mais possa ler.

NÃO ESQUECER

Uma das melhores partes de ter um diário é que você pode olhar para trás, para todas as coisas bobas que disse, anos, meses, semanas, dias e até mesmo horas atrás. É comum ler anotações do passado.

Mas, se você parar para pensar, um diário é quase como uma máquina do tempo, que pode transportá-la para o passado E para o futuro!

COMO?

Você pode escrever uma carta para o seu futuro eu e depois retornar a ela e ler.

Esquisito, né?

Mas MUITO LEGAL!

QUERIDO FUTURO EU,

167

COMO ESCREVER UM DIÁRIO NADA POPULAR – DICA nº 13

TROQUE CARTAS COM O SEU FUTURO EU!

O que você diria para a sua versão de 18 anos? Escreva uma carta para o seu eu dessa idade.

Querido Eu de 18 Anos,

Um beijo,

Eu, aos _____ anos

NÃO ESQUECER

Escrever um diário deve ser uma experiência agradável. Sempre que possível, tente escrever num lugar tranquilo, onde você não seja incomodada nem se distraia.

COMO ESCREVER UM DIÁRIO NADA POPULAR — DICA nº 14

ENCONTRE UM CANTINHO E RELAXE ENQUANTO ESCREVE.

Que lugar você escolheria para ser o refúgio secreto de criação do seu diário?

EU E MEU DIÁRIO EM NOSSO REFÚGIO SECRETO!

Faça um desenho seu escrevendo no diário em seu refúgio secreto.

EM CASA, 4:00 DA TARDE

POR QUE, POR QUE, POR QUE a minha vida TEM de ser essa DROGA horripilante ☹?!

Acho que meu diário está PERDIDO PARA SEMPRE.

Principalmente porque a MacKenzie também está procurando por ele.

Eu podia jurar que estava na bolsa dela na secretaria, mas parece que me enganei.

Acho que ela estava apenas fingindo estar com o meu diário para que eu desistisse de procurar. Comigo fora do caminho, as chances dela de encontrá-lo provavelmente aumentariam muito.

Sei que é meio complicado. Mas a MacKenzie deixa TUDO complicado.

Eu NÃO estou a fim de que o colégio inteiro leia meus assuntos pessoais.

Mas acho que vou sobreviver.

Assim como sobrevivi a todos os outros grandes desastres da minha vidinha patética.

Ainda bem que tenho minhas melhores amigas, a Chloe e a Zoey, para me amparar.

Ainda não me conformo com o quanto elas estavam dispostas a arriscar entrando no vestiário masculino daquele jeito, só para me ajudar a encontrar meu diário.

Elas são as MELHORES AMIGAS do MUNDO!

EM CASA, 4:30 DA TARDE

Neste momento, sou uma pilha de nervos em colapso e emoções conflitantes.

EU ME SINTO FELIZ, BRAVA, ALIVIADA E SUPERINSEGURA, TUDO AO MESMO TEMPO.

POR QUÊ?

Eu estava chafurdando em uma fossa de autopiedade quando a Brianna entrou correndo, vindo da escola, gritando o mais alto possível.

"Nikki! Nikki! Tenho novidades muito felizes! Você não sabe o que aconteceu na escola hoje!"

Eu estava bebendo uma garrafa de água, porque chafurdar na fossa é um trabalho exaustivo e pode te deixar com muito calor e sede.

EU, FAZENDO UMA PEQUENA PAUSA NA MINHA FOSSA PARA TOMAR UM POUCO DE ÁGUA

"BRIANNA! VOCÊ LEVOU O MEU DIÁRIO PARA A ESCOLA, PARA APRESENTAR À CLASSE??!!", berrei.

Eu estava tão chocada que não sabia se GRITAVA por ela ter levado meu diário ou se AGRADECIA por ter trazido de volta. Mas, já que eu não precisava mais me preocupar com a MacKenzie pendurando as páginas dele pelo colégio, essa foi moleza.

Eu dei um grande abraço de urso na minha irmãzinha pentelha!

Então, fiz a Brianna prometer, com pacto de dedinho, que NUNCA MAIS encostaria nas minhas coisas sem me pedir permissão. Nossa pequena cerimônia nos aproximou tanto como irmãs que eu quase derramei uma lágrima...

COM O MEU DEDINHO,
EU PROMETO E JURO
NADA **NUNCA** PEGAR.

SENÃO A NIKKI VAI FICAR
TÃO **BRAVA** COMIGO
QUE PARA O ESPAÇO VAI ME **MANDAR!**

Claro, sendo a mentirosa patológica que é, a Brianna negou ter pegado meu diário.

"Foi a Bicuda que roubou seu diário idiota, não EU! Eu disse a ela para não fazer isso, mas ela não me escutou!"

Essa foi a história da Brianna, que ela manteve firme e forte.

Se bem que, pensando bem agora, a Bicuda e a MacKenzie até que são bem parecidas.

1. Ambas são SUPERirritantes.

2. Ambas têm uma BOCA ENORME.

3. Ambas usam gloss DEMAIS.

4. Ambas adoram me TORTURAR.

5. Nenhuma delas parece ter CÉREBRO.

AI, MEU DEUS! Elas provavelmente são gêmeas idênticas, separadas no nascimento!!

Mas tenho de admitir, eu também não sou perfeita.

É sério, pessoal...

EU SOU MUITO TONTA ☺!!

NÃO ESQUECER

Um diário é um excelente espaço para ser supercriativa. Tente escrever um poema ou uma letra de música. Poesia pode rimar ou não. Embora isso possa parecer uma tarefa meio difícil ou entediante, na verdade é bem FÁCIL e DIVERTIDA! Pense no seu rapper ou rap favorito. Rap é uma forma de poesia!

COMO ESCREVER UM DIÁRIO NADA POPULAR – DICA nº 15

FAZER POESIA NÃO É NADA MAU, QUANDO VOCÊ PENSA NELA COMO UM RAP ANIMAL.

Primeiro, você vai precisar de um nome artístico. Você pode colocar "MC" na frente do seu nome ou inventar algo bobo. Escreva seu rap, poema ou música na próxima página. Ei! Você é uma poeta e nem sabe.

TÍTULO DO SEU POEMA

por _____
SEU NOME ARTÍSTICO

NÃO ESQUECER

Seu diário pertence a VOCÊ e a mais ninguém (não importa o que sua irmãzinha pentelha pense). Então você pode escrever sobre seu dia, seu paquera, suas coisas favoritas, sobre uma festa que você queira fazer ou sobre qualquer outra coisa, a qualquer hora!

COMO ESCREVER UM DIÁRIO NADA POPULAR - DICA nº 16

ESCREVA SOBRE QUALQUER COISA, SOBRE TUDO OU SOBRE NADA... É O SEU DIÁRIO!

ÊÊÊÊÊ! Vire o cantinho das páginas bem rápido para ver a Nikki fazer a "dancinha feliz do Snoopy"!

Rachel Renée Russell é uma advogada que prefere escrever livros infantojuvenis a documentos legais (principalmente porque livros são muito mais divertidos, e pijama e pantufas não são permitidos no tribunal).

Ela criou duas filhas e sobreviveu para contar a experiência. Sua lista de hobbies inclui o cultivo de flores roxas e algumas atividades completamente inúteis (como fazer um micro-ondas com palitos de sorvete, cola e glitter). Rachel vive no estado da Virgínia, nos Estados Unidos, com um cachorro da raça yorkie que a assusta diariamente ao subir no rack do computador e jogar bichos de pelúcia nela enquanto ela escreve. E, sim, a Rachel se considera muito tonta.

Rachel Renée Russell

DIÁRIO de uma garota nada popular

Você já leu TODOS os diários da Nikki?

A DICA MAIS IMPORTANTE DA NIKKI MAXWELL:

Sempre deixe seu lado

NADA POPULAR

brilhar!

Série best-seller do New York Times